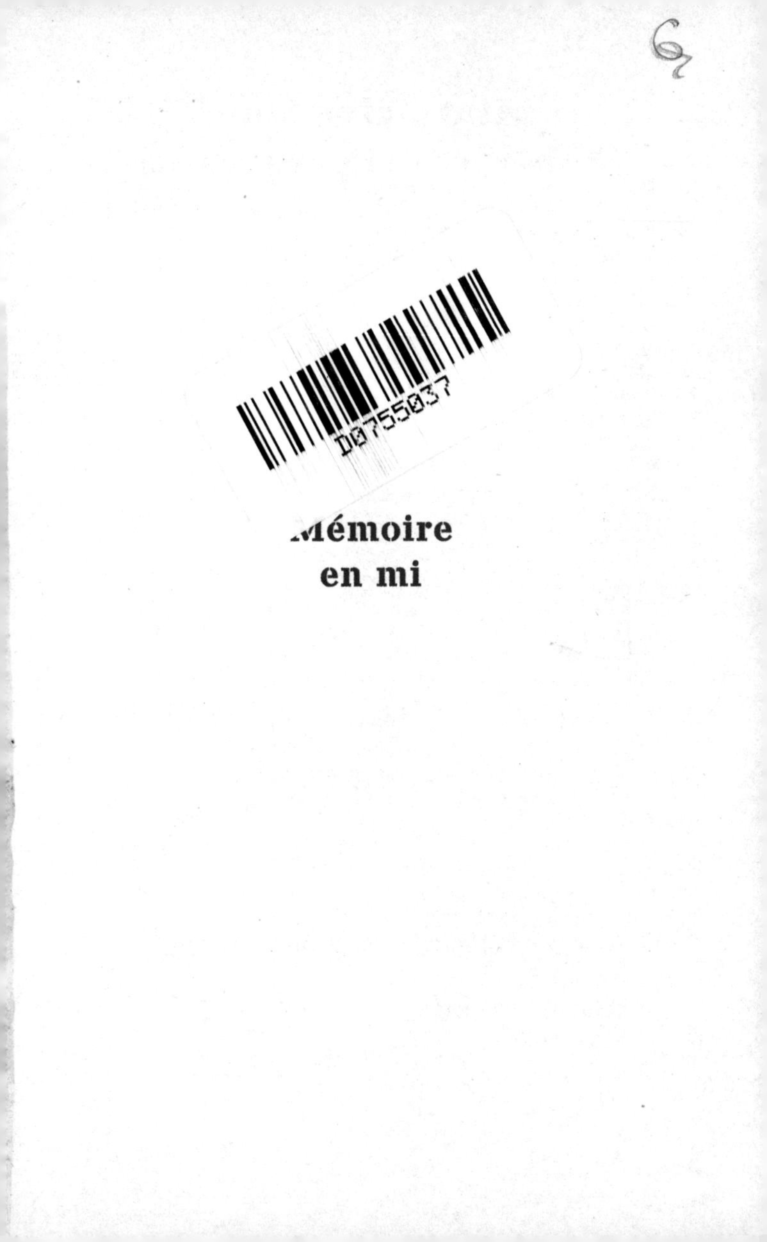

Mémoire en mi

Mini Syros Soon

Une collection dirigée par Denis Guiot

Couverture illustrée par Stéphanie Hans

ISBN : 978-2-74-851384-4

Mémoire en mi

Florence Hinckel

« Les machines ont une mémoire,
mais elles n'ont pas de souvenirs. »
George Steiner

« J'ai une mémoire excellente,
mais je ne me souviens pas
des choses comme elles sont. »
Paul Claudel

Chapitre 1

Aujourd'hui, c'est mon anniversaire, et toutes mes copines sont invitées !

Je guette le portail grand ouvert. Des voitures vont bientôt le franchir et glisser silencieusement le long de l'allée pour se poser moelleusement devant le perron. Le gravier crissera ensuite sous les pas, et c'est un bruit que j'aime, car il signifie que quelqu'un nous rend visite. C'est si rare ! Et comme on est en vacances, il n'y a même plus l'école pour me distraire.

Je trépigne, le nez collé à la vitre. Je ne peux pas m'en empêcher. Maman me dit toujours que j'ai le diable dans le corps.

Ça y est, voilà une voiture ! Qui va arriver en premier ? Sidonie, Héléna, Victoire, Fanny ou bien Magda ?

Maman s'avance dans l'allée pour accueillir les nouveaux arrivants. Elle est belle ! J'espère que je lui ressemblerai, plus tard. C'est possible : je suis brune comme elle, avec des yeux bleus. Il ne me reste qu'à grandir et à acquérir son élégance. La voiture se pose non loin d'elle et, en plus de mon nez, c'est mon front qui se scotche à la vitre.

La portière s'ouvre et une petite fille en descend.

Ce n'est aucune de mes copines. C'est une inconnue aux longs cheveux châtains très bouclés. Ils encadrent un visage rond où pétillent des yeux noisette et s'élargit un sourire aux lèvres roses. Je ne sais pas qui c'est, mais je suis certaine que je m'entendrai rapidement avec elle. Peut-être est-elle la fille d'une amie de Maman ? À sa suite descend une femme qui doit être sa gouvernante, car elle est vêtue d'une pauvre robe sans charme. Mais la petite fille se colle à la femme qui lui caresse les cheveux. Maman reste raide devant elles et ne tend pas la main. Je comprends alors qu'il s'agit de ma nouvelle nounou, accompagnée par sa fille. Je ressens sans le vouloir la honte d'avoir trouvé cette fille sympa.

Nous ne nous mélangeons pas aux domestiques.

Chapitre 2

Peu de temps après, toutes mes amies sont arrivées. On s'amuse comme des folles ! Magda et moi faisons danser mes Barbie entre la fontaine à chocolat et la brioche piquée de brochettes de bonbons. Sous la table, Fanny et Héléna essaient de nous chatouiller les pieds, ce qui nous fait rire et crier tout à la fois. Victoire et Sidonie se poursuivent entre les fauteuils et le piano du salon, l'une coiffée d'une passoire chipée dans la cuisine, l'autre avec une nappe nouée autour du cou comme une cape. Un robot ménager se déplace en silence pour ramasser au fur et à mesure tout ce que nous faisons valser par terre. Il range les objets dans son ventre dont la trappe s'ouvre et se referme constamment. Il remettra tout en place plus tard. Maman est dans son bureau, en train d'appeler ses relations. Mes parents disent que ce travail est très important.

Je fais comme si je ne me rendais pas compte de la présence de la fille de la nounou, qui nous observe de la cage d'escalier. Tout à l'heure, sa mère a monté une énorme malle jusqu'au grenier. Les domestiques, qu'ils soient humains ou robots, n'ont pas le droit d'utiliser notre ascenseur. J'ai entendu la nounou souffler, en passant :

– Justine, ne reste pas au milieu.

Les nounous logent toujours au grenier. Celle-ci est la quatrième de toutes celles dont je me souviens. Maman a mis un mois pour en dénicher une nouvelle et, durant tout ce temps, elle a dû renoncer à de nombreux rendez-vous pour rester avec moi. Papa, lui, travaille beaucoup et rentre très tard, il ne peut donc jamais me garder. J'étais secrètement très contente qu'on ne trouve pas de nouvelle nounou, parce que j'avais ma maman pour moi toute seule. Même si elle s'enfermait souvent dans son bureau.

J'ai encore plus envie de me défouler pour oublier ma nouvelle nounou.

– Hé, les filles ! Et si on jouait à cache-cache ?

La partie est épouvantablement drôle. Pour nous cacher, nous vidons des placards entiers de linge ou de vaisselle, nous faisons tomber les manteaux des penderies, écrasons les boîtes à chaussures ou à chapeaux rangés dans les armoires, et ce dans toutes les pièces, à tous les étages, jusqu'au grenier où vient juste de s'installer la nounou. Je vois même Sidonie s'introduire dans sa malle après avoir viré une bonne partie de son contenu par terre. Je crie :

– Trouvée !

Et elle émerge en riant, une tonne de vêtements sur la tête et des objets non identifiés dans ses bras tendus, cachés par des robes et des blouses. Elle adopte une voix d'outre-tombe :

– Je suis le zombie des malles qui puent !

La nounou se tient juste à côté, debout, pétrifiée. Je ne dis rien, même si j'ai un peu de peine pour cette femme qui vient d'arriver. Elle ne va sans doute pas rester très longtemps ici. Peut-être même qu'elle va partir dès ce soir. Et c'est Maman qui me gardera... Chic !

Justine, la fille de la nounou, est toujours dans la cage d'escalier, silencieuse et plaquée contre le mur. J'ai l'impression qu'elle me suit de son regard d'écureuil.

Les robots engloutissent dans leur ventre tout ce qui traîne par terre. Ils font des allers-retours incessants vers la buanderie. Ils y déposent ce qu'ils ont glané. Leurs yeux clignotent rapidement, signe qu'ils fonctionnent à plein régime. La nounou voit disparaître ainsi toutes ses affaires. Son regard s'agrandit tellement que je lui lance :

– Ne vous inquiétez pas ! Les robots vont tout ranger ce soir. Ils ont enregistré l'emplacement de chaque chose dès votre arrivée. Vous ne perdrez rien...

Je me retourne pour aller me cacher à mon tour. Je passe à toute vitesse devant Justine, avant de dévaler les escaliers jusqu'au placard à balais.

Chapitre 3

Le calme et le silence sont revenus dans la maison.

Les robots sont encore affairés. Ils plient les vêtements et replacent tout très exactement comme c'était avant. Chez nous, les seuls domestiques humains sont le cuisinier et la nounou. Celle-ci n'est pas partie, malgré sa frayeur de cet après-midi. Elle est en train de me faire couler un bain. Je découvre les cadeaux de mes amies, que je n'ai même pas eu le temps de déballer. Maman pénètre alors dans ma chambre.

– J'y vais, ma chérie.

– Où ça ?

– À un gala de bienfaisance. Je rentrerai tard. Sois sage avec Gaëlle.

– Qui ?

– Gaëlle. Ta nouvelle nounou. Je suis contente, elle a l'air très bien. J'ai un peu hésité quand elle m'a dit que je devais aussi héberger sa fille, mais enfin il y a si peu de bons domestiques sur le marché... Oh, je suis en retard ! Je file. À demain !

Elle semble voler vers moi et dépose un baiser très léger sur mon front, avant de disparaître aussi vite. Quelques instants plus tard, j'entends le vrombissement velouté de sa voiture qui descend l'allée.

Mon robot perso est en train de replacer des modules détachés de ma boîte-mémoire durant le grand chaos de la fête. Je sens la présence de Justine dans le couloir. J'ai entendu Maman donner cette consigne à Gaëlle :

– J'accepte la présence de votre fille à condition qu'elle se fasse la plus discrète possible. Et, surtout, qu'elle n'importune pas Juliette. Interdiction pour elle de pénétrer dans sa chambre ou bien de toucher à ses affaires. Est-ce bien compris ?

Nous ne nous mélangeons pas aux domestiques.

Après mon bain, la nounou Gaëlle me rejoint dans ma chambre.

– Voulez-vous que je vous lise une histoire, mademoiselle Juliette ?

– Heu, non merci. Maintenant, je lis toute seule.

– Très bien, mademoiselle. Surtout, n'oubliez pas de procéder au stockage de votre mémoire, avant de vous endormir.

Et... heu... désirez-vous que je vous fasse un bisou pour vous souhaiter bonne nuit ?

Je sais que je rougis violemment en répondant :

– Non ! Non... Je ne suis plus un bébé.

– Bonne nuit, mademoiselle Juliette.

Gaëlle ferme la porte, et je décide d'enregistrer tout de suite ma mémoire. Je saisis la boîte où brillent des lettres dorées. Chacun en reçoit une semblable à sa naissance, donnée à la maternité. Sur la mienne, il est écrit : *Mémoire de la vie de Juliette Livourne.* Je sors le module correspondant à l'année en cours. Celui-ci est si petit que seules mes initiales y sont inscrites. J. L. Je le glisse dans l'unité de stockage et installe sur ma tête le casque qui y est relié. Je m'assieds sur mon lit, confortablement appuyée contre mon oreiller, et j'attends que le voyant vert cesse de clignoter. On m'a expliqué à l'école que cet appareil allait chercher dans la zone-mémoire de mon cerveau les souvenirs de ma journée et les copiait dans la mémoire de ma boîte.

Comme notre durée de vie est très, très longue en ce XXIIe siècle (près de trois cents ans), il a fallu trouver un moyen pour conserver nos souvenirs, car le cerveau humain n'a pas une très grande capacité de stockage de mémoire. Comment dès lors savoir qui l'on est vraiment, si on oublie ses actes passés ? Alors on les enregistre de cette façon, chaque jour. Cette décision a été prise par le gouvernement l'année précédant ma naissance.

Cela fait, je n'arrive pas à trouver le sommeil... J'entends des rires étouffés. Je me lève, j'ouvre la fenêtre, entrouvre les volets. Justine et sa mère sont en train de jouer dans le jardin. Elles se poursuivent et s'attrapent. Puis elles se jettent dans les bras l'une de l'autre et restent longtemps enlacées.

Mon cœur se serre. Ce n'est pas que je sois jalouse. C'est juste que Maman me manque.

Mon regard glisse sur un holo qui flotte sur ma commode. Je suis un tout petit bébé dans les bras de Maman, qui m'enveloppe et me regarde avec amour. En ce temps-là, Maman était toute la journée à la maison. J'étais son bébé.

Elle en parle souvent avec émotion.

J'aimerais tant retrouver les sensations de cette époque !

J'ai soudain une idée. J'enregistre ma mémoire de façon si machinale chaque soir que je n'y ai jamais pensé auparavant. Je me précipite vers ma boîte où sont stockés mes modules-mémoire inviolables et j'en sors celui des premières semaines de ma vie. Il ressemble à une petite clé. Je l'introduis dans le lecteur. Le cœur battant, j'effleure la touche *Lecture*.

Chapitre 4

Le jour de ma naissance!

Les hologrammes dansent devant moi. Je m'allonge sur mon lit pour mieux en profiter. La première surprise est que tout est flou. Que je suis bête: il me semble en effet avoir appris qu'un nourrisson n'y voyait pas clair avant six semaines. Et puis c'est très bref, sans doute parce qu'un nouveau-né n'a que très peu de mémoire.

Mais c'est quand même génial. L'image est d'abord un choc de lumière. Puis je perçois des formes indéfinies et mouvantes... Je devine avec une grande émotion le sein de ma maman que je prends dans ma bouche. Je rigole toute seule, tellement ça me paraît fou ! Quel dommage que ce soit si flou et que ne soient pas enregistrés les odeurs, les goûts et surtout les émotions ! Il n'y a que les images et les sons. J'entends un homme et une femme qui ne peuvent être que mes parents, mais je ne comprends évidemment pas ce qu'ils disent, c'est une bouillie sonore...

C'est si fantastique que je ne parviens pas à m'arrêter là pour ce soir. Je visionne des bribes de mes deux premières semaines. Peu à peu, je repère les moments où mes parents me parlent avec une voix très douce. Je crois distinguer :

– *Juju, ma chérie, ma toute belle...*

Et Maman, tous les jours, entonne une mélodie très jolie, qui me plaît beaucoup.

Une berceuse. Comme j'apprends le solfège et le piano depuis mes six ans, je réussis à reconnaître les notes: *mi la si ré# si sol#*... Je me creuse la tête pour tenter de me rappeler Maman en train de me la chanter. Elle a sans doute cessé dès que j'ai grandi. Je ne m'en souviens pas du tout...

La voix de mes parents est lointaine et étouffée. Je ne la reconnais pas vraiment mais c'est normal: ils étaient plus jeunes, et il ne s'agit que de la retranscription d'une mémoire de nourrisson. Quoi qu'il en soit, j'emmagasine avec ces images une bonne dose de douceur et d'amour. Cela m'apaise. Je m'endors... comme un bébé.

Maman est partie en milieu de matinée, en prévenant qu'elle ne rentrerait pas avant la fin de soirée. Elle a de multiples rendez-vous dans la journée, avec des gens dont j'ignore tout... Et je n'ai même pas vu Papa, qui part au travail avant que je me réveille lorsque je suis en vacances.

La journée se déroule avec ennui. Gaëlle essaie pourtant de m'occuper, et je reconnais qu'elle se donne du mal. Elle me propose de jouer au cricket dans le jardin, ou au minigolf un peu plus loin, ou encore de faire de la peinture, de la broderie, une partie de foot... Justine nous suit comme notre ombre, n'osant nous approcher, conformément aux consignes de ma mère. Mais c'est trop bête et je m'ennuie trop. Je vois bien qu'elle aussi s'ennuie, alors, en fin d'après-midi, je craque et je vais vers elle :

– Salut. Ça te dirait de jouer au loup dans le jardin ?

– Je... heu... je sais pas si j'ai le droit.

– Écoute, on ne le dira pas. Allez, viens !

Elle m'adresse un sourire immense, et on s'élance sur la pelouse en riant. Nous jouons longtemps. La nounou Gaëlle a d'abord l'air effrayée de nous voir ensemble. Puis elle se laisse tomber dans une chaise longue, soulagée de pouvoir prendre enfin un peu de repos.

La voiture de ma mère pointe le bout de sa carrosserie dans l'allée. Elle rentre plus tôt que prévu ! Gaëlle sursaute et nous crie :

– Attention !

Elle se lève précipitamment et Justine court se cacher derrière l'abri à outils. Moi, je fais mine de chercher des fourmis ou des vers de terre, à quatre pattes dans l'herbe. La voiture de Maman se pose, et elle en sort avec élégance, comme toujours. Ses pas crissent dans l'allée, jusqu'à ce qu'elle nous aperçoive dans le pré qui jouxte la maison.

– Tout s'est bien passé ? lance-t-elle à Gaëlle.

– Oui, très bien, madame.

Maman hoche la tête et pénètre dans la maison. Je vois la chevelure bouclée de Justine s'agiter derrière l'abri et je ne peux m'empêcher de pouffer.

Quel dommage que Justine ne soit qu'une fille de domestique !

Chapitre 5

Le soir, je recommence. Après avoir enregistré ma journée, je visionne la suite de mon début de vie. Je navigue au hasard dans le module, au fil de mes troisième et quatrième semaines.

Ce sont encore des ombres vagues, des lumières, peu de couleurs, et mon regard ne se fixe jamais vraiment. Mais je ressens chaque fois une forte émotion lorsque je vois le visage très flou de Maman ou de Papa. Je comprends qu'ils sourient, que leurs regards sont remplis d'amour... Je distingue mes menottes, mes pieds, un mobile qui bouge devant moi. Sa musique qui tintinnabule.

Et toujours la petite mélodie, fredonnée plusieurs fois par jour par Maman. Je l'entonne en même temps qu'elle dans mon lit, sourire aux lèvres. *Mi la si ré#...* Accompagnée par cet air, je tente de me rappeler mes *vrais* souvenirs. Je veux dire : ceux qui me restent en tête et non ceux qui sont en mémoire sur le module. Mais c'est impossible, j'étais trop jeune ! Je m'endors néanmoins le cœur rempli à craquer de bonheur.

Maman s'absente encore pour la journée. Ce matin, j'ai quand même eu le temps de voir Papa avant qu'il ne s'en aille. Il me fait un bisou au moment de partir.

– Ah, Juliette, comme tu as bonne mine ! me dit-il.

Je me sens en pleine forme, sans être surexcitée. Et, aujourd'hui, je n'ai aucun état d'âme : je ne quitte pas Justine d'une semelle. On s'entend super bien ! Elle a plein d'idées de jeux absolument géniaux. Par exemple, elle sait construire une cabane avec des branches qu'elle pose les unes contre les autres, comme pour un tipi. Autour, nous délimitons un jardin et nous apportons de ma chambre une partie de ma dînette et quelques coussins. Durant plusieurs heures, nous jouons à aménager notre cabane. Puis nous imaginons qu'il s'agit de la bicoque de Mère-grand, et je suis le Petit Chaperon rouge. Qu'est-ce qu'on s'amuse !

En fin d'après-midi, alors que le disque du soleil caresse l'horizon orange, Justine me propose en chuchotant sous les branchages :

– Et si on devenait sœurs de cœur ?

– C'est quoi ? je demande.

– Il suffit qu'on fasse un serment. On promet de toujours être amies.

J'accepte. On pose nos fronts l'un contre l'autre et on se serre les mains très fort. Je distingue pour la première fois une tache de naissance entre le pouce et l'index de la main droite de mon amie. Je trouve ça joli : elle a la forme d'une fleur. On ferme les yeux et on se promet solennellement une amitié éternelle.

Comme hier, Gaëlle donne l'alerte quand Maman rentre à la maison, et Justine se cache en un éclair. Mais, quelques heures plus tard, j'entends Maman hausser la voix :

– Je vous avais pourtant prévenue ! Votre fille doit rester à l'écart de la mienne. C'est incroyable que vous m'ayez désobéi de cette façon. Qu'est-ce que vous imaginez ? Tout se sait dans cette maison. Que cela ne se reproduise pas.

Nous ne nous mélangeons pas aux domestiques.

Chapitre 6

L*ecture.*
Extraits de la cinquième semaine de ma vie.

C'est doux, c'est chaud, c'est bon. Toutes ces sensations ne sont pas enregistrées, bien sûr – le module est juste une clé-mémoire qui conserve les faits –, je les ressens pourtant en visionnant ces moments de bonheur absolu. Je rêve de la berceuse entonnée par Maman et qui me plaît tant.

Mais ce matin, je suis réveillée par des cris.

– Qui voulez-vous que ce soit d'autre ? Cet argent n'a pas disparu par magie ! Et vous osez nier ?

Je me lève précipitamment et je rejoins Justine, calée comme le premier jour dans un recoin de la cage d'escalier. Elle pleure.

– Que se passe-t-il ? je demande.

Ses larmes l'empêchent de me répondre. De toute façon, je comprends vite. Dans le séjour qui s'ouvre devant nous, Gaëlle gémit :

– Non, madame, je vous jure, c'est pas moi. J'ai rien volé. J'ai jamais rien volé de ma vie. Vous pouvez pas m'accuser de ça. Je suis pas une voleuse !

Je prends Justine dans mes bras. Je me mets à pleurer à mon tour. Nos larmes se mêlent et coulent dans nos cheveux.

– Dehors ! crie ma mère. Gaëlle Lissac, vous êtes renvoyée.

La nounou, visage à demi caché dans ses mains, se dirige vers nous. C'est alors que Maman nous voit, Justine et moi, enlacées. Et moi je vois son air stupéfait, puis scandalisé.

Maman entre dans une fureur folle et jette quasiment Gaëlle et Justine dehors. Puis elle me gronde très fort :

– Qu'est-ce qui t'a pris ? Enfin, Juliette, c'est une fille de domestique !

Comme je ne réponds pas, pour finir, en plein désarroi, elle me prend dans ses bras et me cajole comme elle ne l'avait pas fait depuis longtemps. Elle aussi se met à pleurer !

– Ma Juliette... Mais que nous arrive-t-il ? Tu devais sans doute manquer de câlins, pour en chercher chez une inconnue. Ma chérie, je suis désolée.

Je ne me suis pas rendu compte. Je t'ai sans doute trop négligée... Pour que tu en arrives là !...

La malle est descendue par le cuisinier. Puis une voiture emporte Gaëlle, Justine et la malle. Le gravier ne crisse plus. Tout est calme. C'est comme si mon amie et sa maman n'avaient jamais séjourné chez nous.

Pour me consoler, Maman me promet qu'on ira chez mon amie Magda demain. Après-demain, je suis invitée à l'anniversaire de Victoire. Maman me dit qu'elle fera son possible pour que j'oublie ma toute nouvelle meilleure amie...

Pourtant, je sais que je n'oublierai pas Justine. Elle est ma sœur de cœur. Et un jour, je la retrouverai, j'en suis sûre.

Cette certitude m'aide à apprécier pleinement ce miracle : ma mère a décidé de passer plus de temps avec moi.

Chapitre 7

Le soir, avant de me coucher, je ne peux pas m'empêcher de pleurer encore.

J'ai retrouvé Maman, mais j'ai perdu ma sœur de cœur.

J'ai quand même grand besoin de réconfort...

Lecture.

Bribes de la sixième semaine de ma vie.

Ma vue est plus claire, les images sont moins floues. Je distingue nettement mes mains, maintenant ! Ainsi que mes pieds. Le mobile devant moi est composé d'une ribambelle de petits nounours. Et voici la silhouette de Maman, plus nette elle aussi.

– *Juju, oh, ma Juju jolie.*

Son visage s'approche. La mélodie bienfaisante se fait à nouveau entendre. *Mi la si ré#*... Je la fredonne en même temps. L'émotion monte. C'est sans doute le premier jour de ma vie où je vais voir nettement le visage de ma maman.

Le voilà !

Je n'ai pas pu m'empêcher de pousser un cri.

Je me précipite sur le lecteur pour le mettre sur pause. Mon cœur bat à mille à l'heure. Que s'est-il passé ?

Ce n'était pas le visage de Maman.

C'était le visage de Gaëlle.

J'essaie de me calmer...

Tout en tremblant, je me force à visionner à nouveau ces quelques minutes. Je regarde mieux les petites mains qui se tendent vers le mobile... et je distingue la tache de naissance entre le pouce et l'index de la main droite. Ce bébé est Justine. Ce n'est pas moi.

Je pousse d'abord un soupir de soulagement, puis je m'affole à nouveau. Je régule ma respiration puis je tente de comprendre. Il est évident que nos modules-mémoire ont été échangés. Mais quand ? Comment ?

Je me remémore les événements de ces derniers jours.

Et soudain, je crois avoir l'explication. Oui, ça ne peut être que ça ! C'était le jour de mon anniversaire. Je revois mon robot domestique ranger des modules de ma mémoire à leur place, dans la boîte qui est dans ma chambre. Pendant la partie de cache-cache de ce jour-là, tout a été mis sens dessus dessous. Sidonie a descendu des affaires de la malle de Gaëlle jusque dans ma chambre, et Héléna a fait l'inverse. C'est ainsi que les modules-mémoire de ma sœur de cœur et les miens ont été intervertis. Juliette Livourne et Justine Lissac. Nous avons les mêmes initiales, gravées sur les modules.

J. L.

Les robots se sont trompés. Ils n'ont pas su distinguer les modules.

Ce sont donc bien les six premières semaines de Justine dont j'ai visionné la mémoire, et non les miennes.

Pendant un instant, tout tourbillonne dans ma tête. Une seule chose est sûre : je dois récupérer les modules de ma mémoire et rendre les siens à Justine !

Je dois prévenir Maman pour qu'elle fasse le nécessaire... Je n'ai pas le choix. Elle va être furieuse. Ma mémoire entre les mains d'une domestique ! Je vais avoir droit à un drôle de savon.

Il faut retrouver Gaëlle et Justine !

Peu à peu, cette phrase fait son chemin dans mon cœur, et une joie immense m'envahit. Maman fera l'impossible pour que tout rentre dans l'ordre très rapidement, elle qui aime tant cet ordre-là. Elle parviendra facilement à retrouver la nounou, qui n'est sans doute pas partie très loin.

Je sais que je vais bientôt revoir ma grande amie. Je l'exigerai quand Maman donnera rendez-vous à la nounou pour l'échange ! Ce sera le caprice du siècle. Et, cette fois-ci, je demanderai à Justine ses coordonnées afin qu'on ne se perde jamais de vue. Ma sœur de cœur, nous allons nous revoir très vite...

La porte de ma chambre s'entrouvre. C'est Maman.

– Juliette, je voulais te dire quelque chose. L'argent que je croyais volé était dans une boîte à gâteaux ! Les nouveaux robots de rangement semblent défectueux, il va falloir se plaindre auprès du constructeur. Oh, je me sens si confuse d'avoir commis une telle injustice ! Demain, nous tenterons de contacter Gaëlle afin que je lui présente mes excuses.

Mon cœur déborde : tout s'arrange ! Elle ajoute plus doucement :

– Tu viens avec moi au salon ? J'aimerais tant que l'on regarde les albums holos de quand tu étais plus petite, ça fait longtemps, non ?

Je bondis de joie et de mon lit tout à la fois. Je ne vais pas parler tout de suite de l'échange de mémoire, pour ne pas gâcher ce bon moment. Cela peut attendre demain. Une fois dans le salon, j'ai une idée:

– Attends, Maman, avant d'ouvrir les albums...

Je m'installe au piano et je joue la berceuse.

Mi la si ré# si sol#...

Une foule d'émotions me submerge avec ces notes. C'est obligé: elles doivent appartenir à mes *vrais* souvenirs remontant à ma toute petite enfance. Je me sens si émue en écoutant cette mélodie! C'est tout de même une drôle de coïncidence que Gaëlle l'ait aussi chantée à Justine...

– C'est magnifique, me dit Maman une fois que j'ai fini.

Elle a les yeux fermés. Je suis heureuse du cadeau que je viens de lui faire.

Puis elle ajoute :

– Qu'est-ce que c'est ?

Elle ouvre les yeux.

Je recommence à paniquer.

Maman poursuit, et ses mots s'enfoncent dans mon cœur comme des épines :

– Je n'ai jamais entendu cette mélodie de toute ma vie...

***

Cette nuit-là, deux mères bercent leurs filles. Elles caressent leurs cheveux pour les calmer. L'une d'elles murmure :

– Ne t'inquiète pas, ma puce. Dès demain, on va se mettre à la recherche de ton amie Justine. Je présenterai mes excuses à sa maman. Mais surtout on récupérera ta mémoire, et tu la visionneras depuis ta naissance afin de retrouver tes véritables souvenirs. Tu sauras faire le tri. Tout va rentrer dans l'ordre, ma chérie, je te le promets. Et tu pourras entendre ce que je te chantais pour t'endormir quand tu étais bébé. Tu ne te rappelles pas ? Écoute...

D'une voix plus douce que jamais, elle entonne :

– *Bonne nuit, cher trésor, ferme tes yeux et dors, laisse ta tête s'envoler au creux de ton oreiller...*

Le cœur de Juliette se gonfle d'un soulagement infini. Elle aussi a sa chanson ! Maintenant, elle s'en souvient, et un grand bonheur l'envahit.

Au même moment, l'autre mère entonne une autre berceuse : *Mi la si ré# si sol#...*

Les deux mélodies, légères, fuient par les fenêtres ouvertes et grimpent vers le ciel d'un noir bleuté.

L'auteur

Florence Hinckel a publié plusieurs romans jeunesse chez Syros, Gallimard Jeunesse, Nathan, Rageot... Pour enfants ou adolescents, elle aime explorer tous les genres. Depuis peu, elle est entrée avec bonheur en science-fiction ! On peut la retrouver sur son site : florencehinckel.com

Du même auteur, aux éditions Syros

Pour les plus grands :

Théa pour l'éternité, coll. « Soon », 2012

Prix Enlivrez-vous en mai 2013

Dans la collection « Mini Syros Soon »

Le Très Grand Vaisseau
Ange

Toutes les vies de Benjamin
Ange

L'Enfant-satellite
Jeanne-A Debats
Prix littéraire de la citoyenneté 2010-2011

L'Envol du dragon
Jeanne-A Debats
Prix Cherbourg-Octeville 2012

Rana et le dauphin
Jeanne-A Debats

Opération « Maurice »
Claire Gratias
Prix Salut les bouquins 2011

Une porte sur demain
Claire Gratias

Papa, maman, mon clone et moi
Christophe Lambert

Libre
Nathalie Le Gendre
Sur la liste de l'Éducation nationale

Vivre
Nathalie Le Gendre

À la poursuite des Humutes
Carina Rozenfeld
Prix Dis-moi ton livre 2011

Moi, je la trouve belle
Carina Rozenfeld

L'Enfaon
Éric Simard
Sur la liste de l'Éducation nationale
Prix Livrentête 2011,
Prix Dis-moi ton livre 2011,
Prix Lire ici et là 2012,
Prix Passeurs de témoins 2012
Prix Livre, mon ami 2012

Robot mais pas trop
Éric Simard
Prix Nord Isère 2011-2012

Roby ne pleure jamais
Éric Simard

Les Aigles de pluie
Éric Simard

Loi n° 49-956 du 16 juillet 1949
sur les publications destinées à la jeunesse,
modifiée par la loi n° 2011-525 du 17 mai 2011.

Mise en pages : DV Arts Graphiques à La Rochelle.
N° d'éditeur : 10211358 – Dépôt légal : août 2013
Achevé d'imprimer en janvier 2015
par Clerc (18200, Saint-Amand-Montrond, France).